Celtiaid

Leonie Pratt

Dylunio gan Zöe Wray

Lluniau gan Terry McKenna

Ymgynghorydd: Dr. James E. Fraser, Prifysgol Caeredin

Addasiad Cymraeg: Elin Meek

Cynnwys

Celtiaid yr Oes Haearn

Roedd y Celtiaid yn byw yn Ewrop tua 2,000 o flynyddoedd yn ôl. Roedden nhw'n byw yn ystod cyfnod o'r enw'r Oes Haearn.

Cwrdd â'r llwyth

Roedd y Celtiaid yn byw mewn grwpiau o'r enw llwythau.

Pennaeth, brenin, neu frenhines oedd arweinydd y llwyth.

Roedd y rhai gorau am ymladd yn rhyfelwyr.

Roedd beirdd yn sôn am ryfelwyr enwog mewn straeon a cherddi.

Offeiriaid neu bobl ddoeth iawn oedd y derwyddon.

Roedd y rhan fwyaf o bobl yn gweithio ar y tir. Roedden nhw'n tyfu cnydau a gofalu am anifeiliaid.

Roedd pawb yn rhannu popeth ag aelodau eraill y llwyth.

Ar ben y bryn

Doedd llwythau gwahanol ddim yn cytuno bob amser gan geisio dwyn wrth ei gilydd yn aml. Felly adeiladodd llawer o lwythau gaerau ar fryniau i gadw'n ddiogel.

Dyma olion bryngaer Geltaidd yn Danebury yn ne Lloegr.

Roedd y llwythau'n gallu gweld pobl yn dod o bellter, achos eu bod nhw mor uchel.

Roedd llethrau serth yn cael eu torri i ochr y bryn fel ei bod hi'n anodd i neb ymosod yn gyflym.

Dim ond un neu ddwy fynedfa oedd. Felly roedd hi'n hawdd amddiffyn y gaer.

Pobl y pentref

Roedd pobl yn byw mewn tai crwn yn y fryngaer.

Roedd waliau'r tŷ wedi'i wneud o ffyn.

Roedd mwd yn cael ei roi dros y ffyn i gadw'r gwynt a'r glaw allan.

Roedd grawn yn cael ei storio mewn pydew yn y ddaear.

Mae rhan o'r tŷ hwn wedi cael ei dorri i ti gael gweld y tu mewn.

Roedd mwg yn dianc drwy'r to gwellt.

Roedd tân yn cadw'r ystafell yn gynnes.

Roedd pawb yn cysgu o gwmpas ymyl un ystafell fawr.

Ffermio a bwyd

Roedd y Celtiaid yn tyfu ceirch, gwenith a barlys ac yn gwneud uwd a bara ohonyn nhw.

1. Roedd y dynion yn torri'r gwenith ag offer haearn o'r enw crymanau.

2. Roedd y menywod yn malu'r grawn yn flawd rhwng dwy garreg.

3. Roedden nhw'n cymysgu dŵr i'r blawd i wneud toes.

4. Wedyn, roedden nhw'n coginio'r toes ar garreg wrth y tân.

Roedd cyllyll gan y Celtiaid, ond dim ffyrc – felly roedden nhw'n bwyta â'u bysedd.

Fel arfer roedden nhw'n bwyta cawl cig, cawl llysiau, neu uwd. Roedd y bwyd yn cael ei weini o botiau, jygiau a phedyll fel y rhain.

Edrych yn dda

Roedd y Celtiaid eisiau i'w dillad edrych yn dda, yn ogystal â'u cadw'n gynnes.

Roedd y menywod yn defnyddio planhigion i liwio gwlân. Yna roedden nhw'n ei wehyddu'n ddefnydd lliwgar.

Roedd y dynion yn gwisgo tiwnigau gyda throwsus llac a gwregys. Roedd y menywod yn gwisgo ffrogiau hir.

I gadw'n gynnes, roedd pobl yn gwisgo clogynnau a thlysau i'w cadw yn eu lle.

Roedd y Celtiaid yn hoffi gwisgo breichledau, a choleri o'r enw torchau am eu gyddfau.

Dim ond person pwysig fyddai'n gwisgo torch aur fel hon.

Mae dau ben y dorch yn gallu ymestyn ar agor i ffitio am wddf person.

Roedd dynion cyfoethog iawn yn brwsio llwch aur dros eu clogynnau.

13

Celtiaid crefftus

Roedd y Celtiaid yn dda iawn am wneud pethau o fetel.

Mae efydd yn gymysgedd o ddau fetel, tun a chopr. Roedd y Celtiaid yn ei ddefnyddio i wneud addurniadau fel y fuwch hon.

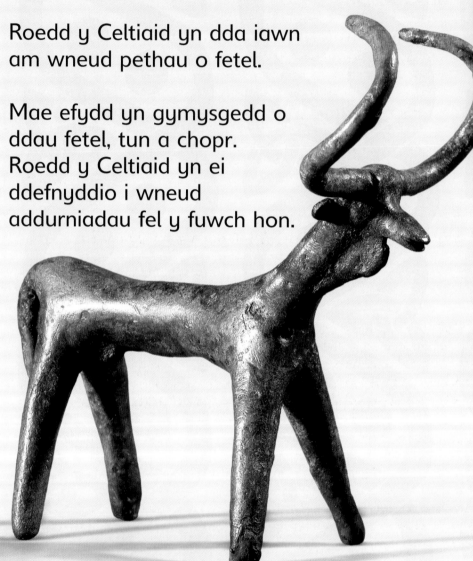

I ddechrau mae efydd yn frown tywyll ac yn sgleinio. Ond mae'n troi'n wyrdd gydag amser.

1. Roedd crefftwr yn gwneud siâp cwyr, ac yn rhoi clai drosto.

2. Wedyn, roedd yn ei grasu i doddi'r cwyr a gwneud i'r clai galedu.

3. Roedd yn arllwys y cwyr allan, a'r efydd tawdd i mewn.

4. Roedd yr efydd yn caledu wrth oeri, a'r clai'n cael ei dorri.

Rhoddion i'r duwiau

Roedd y Celtiaid yn credu mewn llawer o wahanol dduwiau a duwiesau ac yn ceisio eu plesio drwy roi rhoddion iddyn nhw.

Roedd y derwyddon yn casglu rhoddion fel arfau, offer a thlysau efydd.

Roedden nhw'n rhoi'r rhoddion mewn afon neu lyn i'r duwiau eu cael.

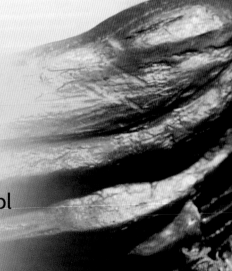

Weithiau roedd y derwyddon yn lladd pobl yn rhodd i'r duwiau.

Roedd y Celtiaid yn meddwl bod tisian yn anlwcus iawn. Byddai'r derwyddon yn dod â seremoni i ben os byddai rhywun yn tisian.

Dyma gorff Celt a ddaeth i'r golwg mewn cors yn Nenmarc. Mae llawer o bobl yn meddwl iddo gael ei ladd gan dderwyddon.

Mae'r mwd wedi cadw ei gorff rhag pydru.

Hwyl y gwyliau

Roedd y Celtiaid yn cynnal gwyliau ar wahanol adegau o'r flwyddyn i ddathlu'r duwiau a'r tymhorau.

Roedd y Celtiaid yn cynnau tân a chael gwledd i ddathlu diwedd y gaeaf.

Roedd dynion yn rasio ceffylau yng ngŵyl yr haf.

Mewn un gŵyl, roedd y Celtiaid yn meddwl bod byd y bobl farw a byd y bobl fyw yn dod at ei gilydd.

Yng ngŵyl y gwanwyn, roedd gwartheg a defaid yn cael eu gyrru rhwng dwy goelcerth.

Roedd y Celtiaid yn meddwl y bydden nhw'n cadw'n iach achos hyn.

I'r gad!

Roedd y Celtiaid yn enwog am fod yn rhyfelwyr ffyrnig a dewr. Weithiau byddai llwythau gwahanol yn ymladd i ddwyn tir ei gilydd.

Roedd y rhyfelwyr yn codi eu gwallt i edrych yn gas.

Roedden nhw'n peintio patrymau cyrliog ar eu cyrff â lliw glas o'r enw glaslys.

Roedden nhw'n chwythu utgyrn o'r enw catgyrn i wneud sŵn brawychus.

Roedd rhyfelwyr cyfoethog yn gyrru cerbydau ac yn taflu gwaywffyn.

Roedd gan rai rhyfelwyr gleddyfau haearn i ymladd.

Mewn brwydr fawr, roedd y menywod yn helpu i ymladd.

Roedd rhai rhyfelwyr yn mynd i'r gad heb unrhyw ddillad!

Adrodd straeon

Ar ôl ennill brwydr, byddai'r rhyfelwyr yn aml yn cael gwledd. Ar ôl y wledd, byddai'r dynion yn ymffrostio am ba mor ddewr oedden nhw.

Roedd y bardd yn canmol y pennaeth . . .

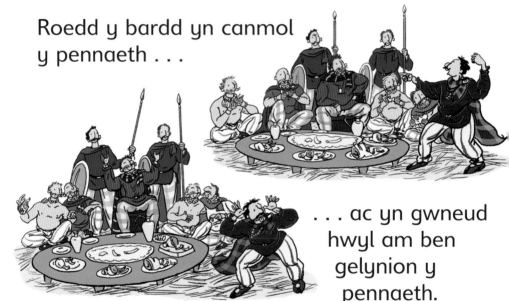

. . . ac yn gwneud hwyl am ben gelynion y pennaeth.

Os oedd y pennaeth yn hoffi geiriau'r bardd, roedd e'n rhoi aur iddo.

Roedd bardd da'n gallu dod yn gyfoethog iawn, iawn.

Roedd y beirdd hefyd yn adrodd straeon a cherddi am ryfelwyr enwog. Dyma hen ddarlun o ryfelwr Celtaidd enwog o'r enw Cu Chulainn.

Trafferth i'r Celtiaid

Nid y Celtiaid oedd yr unig bobl oedd yn byw yn Ewrop. Roedd Groegwyr a Rhufeiniaid yno hefyd.

Roedd y Rhufeiniaid yn genfigennus pan welson nhw fod gan y Celtiaid dir ffermio da.

Arweiniodd Iŵl Cesar fyddin Rufeinig i ymosod ar y llwythau Celtaidd yng Ngâl (Ffrainc nawr).

Daeth rhai o'r llwythau at ei gilydd i ymladd 'nôl, ond y Rhufeiniaid enillodd yn y pen draw.

Dyma gerflun o Vercingetorix, arweinydd y llwythau Celtaidd. Cafodd ei ladd gan y Rhufeiniaid.

Brwydro ym Mhrydain

Daeth y Rhufeiniaid i oresgyn Prydain hefyd.
Doedd rhai llwythau ddim yn hoffi hyn ac
ymladdon nhw 'nôl.

Ymosododd y Frenhines Buddug a miloedd
o Geltiaid ar rai o drefi'r Rhufeiniaid. Ond
ymladdodd y Rhufeiniaid a lladd llawer
o Geltiaid.

Doedd y Celtiaid yng Nghymru a Lloegr ddim yn gallu atal y Rhufeiniaid. Ond methu rheoli'r Alban wnaeth y Rhufeiniaid.

Roedd y Rhufeiniaid eisiau cadw golwg ar y Celtiaid yn yr Alban. Codon nhw'r wal hir hon, o'r enw wal Hadrian, i'r milwyr ei gwarchod.

Cymerodd hi ryw chwe blynedd i filoedd o Rufeiniaid adeiladu'r wal.

27

Cliwiau am y Celtiaid

Ysgrifennodd y Celtiaid ddim byd
am eu hunain. Mae'n rhaid i'r bobl
sy'n eu hastudio ddefnyddio cliwiau
eraill i gael gwybod mwy.

Roedd gan y Rhufeiniaid
ddiddordeb yn y Celtiaid
ac ysgrifennon nhw
lawer amdanyn nhw.

Mae pobl wedi dod
o hyd i wrthrychau
Celtaidd wedi'u gadael
yn rhoddion i'r duwiau
mewn afonydd a llynnoedd

Weithiau roedd y
Celtiaid yn cael eu
claddu gyda cherbydau,
arfau a phethau eraill.

Mae lluniau o gwmpas y bowlen Geltaidd hon
sy'n dangos pobl yn hela ac yn ymladd.
Duwiau yw'r pennau mawr ar y tu allan.

Geirfa'r Celtiaid

Dyma rai o'r geiriau yn y llyfr hwn sy'n newydd i ti, efallai. Mae'r dudalen hon yn rhoi'r ystyr i ti.

 bardd – dyn oedd yn creu straeon a cherddi ac yn canu caneuon.

 derwydd – offeiriad Celtaidd. Roedd y derwyddon yn ddoeth ac yn bwysig iawr

 bryngaer – pentref gyda ffens bren o'i amgylch, ar ben bryn.

 torch – coler aur, arian neu efydd roedd y Celtiaid yn ei gwisgo am eu gyddfau.

 glaslys – lliw glas. Roedd y Celtiaid yn ei ddefnyddio i baentio'u cyrff a lliwio dillad

 catgorn – utgorn rhyfel. Roedd rhyfelwyr yn ei chwythu i ddychryn gelynion.

 cerbyd rhyfel – cerbyd ar gyfer rhyfelwyr oedd yn cael ei dynnu gan ddau geffyl.

Gwefannau diddorol

Os wyt ti'n gallu mynd at gyfrifiadur, mae llawer o bethau am y Celtiaid ar y Rhyngrwyd. Ar Wefan 'Quicklinks' Usborne mae dolenni i bedair gwefan hwyliog.

Gwefan 1 – Dewis y wisg berffaith i ryfelwr Celtaidd dewr.

Gwefan 2 – Dysgu sut mae adeiladu tŷ crwn.

Gwefan 3 – Mynd o gwmpas pentref Oes Haearn.

Gwefan 4 – Profi dy wybodaeth am y Celtiaid mewn cwis hwyliog.

Daeth catgorn wedi torri i'r golwg mewn pentref yn yr Alban. Dyma sut byddai wedi edrych pan gafodd ei wneud. Mae'r blaen fel pen baedd.

I ymweld â'r gwefannau hyn, cer i **www.usborne-quicklinks.com**.
Darllena ganllawiau diogelwch y Rhyngrwyd, ac yna teipia'r geiriau allweddol "beginners celts".

Caiff y gwefannau hyn eu hadolygu'n gyson a chaiff y dolenni yn 'Usborne Quicklinks' eu diweddaru. Fodd bynnag, nid yw Usborne Publishing yn gyfrifol, ac nid yw chwaith yn derbyn atebolrwydd, am gynnwys neu argaeledd unrhyw wefan ac eithrio'i wefan ei hun. Rydym yn argymell i chi oruchwylio plant pan fyddant ar y Rhyngrwyd.

Mynegai

Cydnabyddiaeth

Gyda diolch i John Russell

Lluniau

Mae'r cyhoeddwyr yn ddiolchgar i'r canlynol am yr hawl i atgynhyrchu eu deunydd:
ⓗ aka-images/Eric Lessing 14; ⓗ The British Museum/HIP 13; ⓗ The British Museum/HIP 11;
ⓗ Chris Lisle/Corbis 17; ⓗ Jason Hawkes/Corbis 6; ⓗ Mary Evans Picture Library/Alamy 23;
ⓗ National Museums of Scotland/Licensor www.scran.ac.uk 31; ⓗ Robert Harding Picture Library
Ltd/Alamy 26-27; ⓗ R Sheridan/Ancient Art & Architecture Collection Ltd 25; ⓗ TopFoto.co.uk 1;
TopFoto/HIP 29.

Cyhoeddwyd gyda chefnogaeth Llywodraeth Cynulliad Cymru.

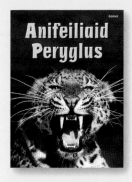

Anifeiliaid Peryglus

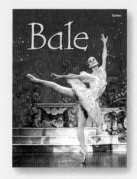

Bale

Byw yn y gofod

Ceffylau a Merlod

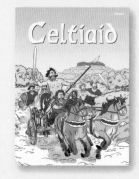

Celtiaid

Coedwigoedd glaw

Cŵn

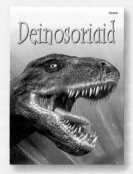

Deinosoriaid

Dy Gorff

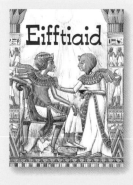

Eifftiaid